Puede consultar nuestro catálogo en www.edicionesobelisco.com

Las rabietas
Texto de *Catherine Dolto* y *Colline Faure-Poirée*
Ilustraciones de *Frédérick Mansot*

1.ª edición: marzo de 2014

Título original: *Les colères*

Traducción: *Juli Peradejordi* y *Joana Delgado*
Corrección: *M.ª Ángeles Olivera*
Maquetación: *Marta Rovira Pons*

© 2006, Gallimard Jeunesse
(Reservados todos los derechos)
© 2014, Ediciones Obelisco, S. L.
(Reservados los derechos para la lengua española)

Edita: Picarona, sello infantil de Ediciones Obelisco, S. L.
Pere IV, 78 (Edif. Pedro IV) 3.ª planta, 5.ª puerta
08005 Barcelona - España
Tel. 93 309 85 25 - Fax 93 309 85 23
E-mail: info@edicionesobelisco.com

Paracas, 59 C1275AFA Buenos Aires - Argentina
Tel. (541-14) 305 06 33 - Fax (541-14) 304 78 20

ISBN: 978-84-941549-5-9
Depósito Legal: B-24.982-2013

Printed in India

Las rabietas

Textos: Catherine Dolto y Colline Faure-Poirée
Ilustraciones: Frédérick Mansot

Cuando tenemos una rabieta muy grande, sentimos cosas muy fuertes en el corazón, y esto nos hace daño. Las personas mayores dicen que no se trata más que de un capricho, pero un berrinche es duro para quien lo sufre.

Cuando me pongo así, mi
mamá dice: «Aquí está el gorila».
Y es cierto, ya que me siento
fuerte y enfadado como un gorila
en cólera.

En cuanto a mi hermana, mi mamá dice: «Aquí está la tigresa». En esos momentos, no podemos decir con palabras lo que sentimos, y entonces explotamos.

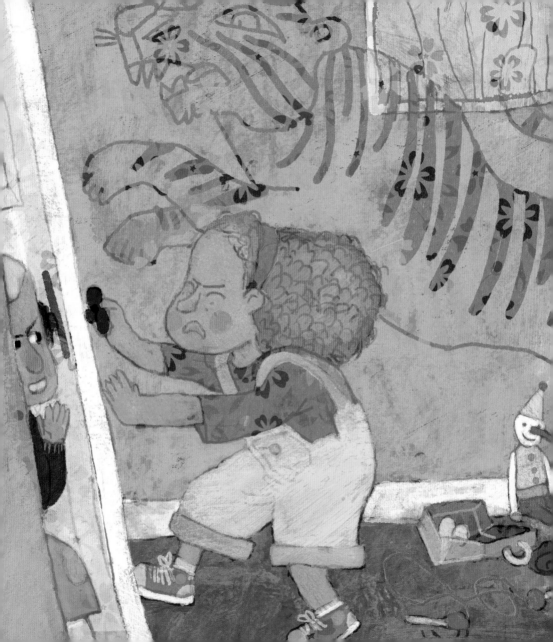

Es desagradable vivir con un gorila, por eso me deshago de él enseguida.

Para conseguirlo, es necesario que me vaya a un rincón y, al cabo de un rato, el gorila siempre se va.

Cuando la rabieta es muy fuerte,
es difícil controlarse.

Si las personas mayores entienden mi enfado, mi gorila se va aún más deprisa.

A veces, hay cosas que no son justas para los niños. Afortunadamente, existen rabietas para decir que no estamos contentos.

Incluso en estos casos, hay que ser capaces de liberarse de ellas.

Después de todo, una buena rabieta de vez en cuando no va mal y ayuda a conocernos mejor.

Cuando todo se ha acabado,
me siento fuerte como un gorila
enorme.

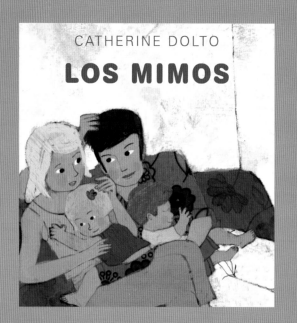